Disney

# HIGH SCHOOL MUSICAL

## L'INTÉGRALE

Presses Aventure

Publié par **Presses Aventure**,
une division de
Les Publications Modus Vivendi Inc.
55, rue Jean-Talon Ouest, 2e étage
Montréal (Québec) H2R 2W8
Canada

Paru sous le titre original : *All Access*

Dépôt légal - Bibliothèque et Archives nationales du Québec, 2008
Dépôt légal - Bibliothèque et Archives Canada, 2008

ISBN 978-2-89543-983-7



Nous reconnaissons l'aide financière du gouvernement du Canada par l'entremise du Programme d'aide au développement de l'industrie de l'édition (PADIÉ) pour nos activités d'édition.

Imprimé au Canada

La vie à East High peut parfois paraître un peu folle, mais l'ambiance reste toujours très agréable.

Après tout, quoi de mieux que de passer du temps entre amis à discuter autour d'un bec Bunsen dans le laboratoire de chimie, à jouer au basket avec ses copains ou à chanter et danser sur une scène? Et lorsque l'été arrive, les esprits s'emballent! Même lorsqu'ils travaillent fort, les Wildcats savent bien s'amuser!

Troy Bolton s'apprête à passer des vacances en famille à la station de ski **Sky Mountain**. Gabriella Montez s'attend, quant à elle, à passer du temps avec sa mère avant d'être à nouveau inscrite dans un autre lycée. Troy et Gabriella sont loin de se douter des surprises qui les attendent !

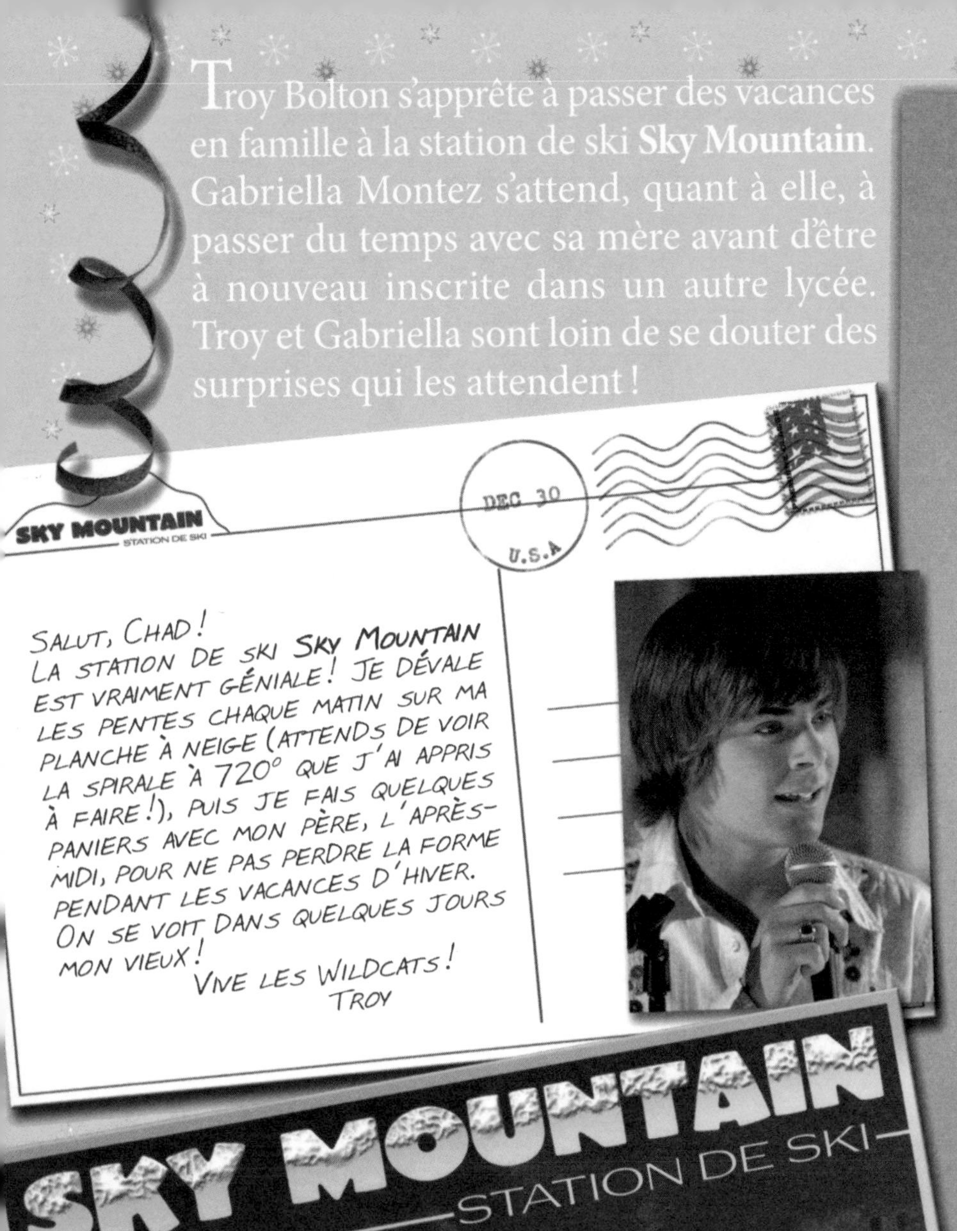

SKY MOUNTAIN
STATION DE SKI

DEC 30
U.S.A

SALUT, CHAD !
LA STATION DE SKI SKY MOUNTAIN
EST VRAIMENT GÉNIALE ! JE DÉVALE
LES PENTES CHAQUE MATIN SUR MA
PLANCHE À NEIGE (ATTENDS DE VOIR
LA SPIRALE À 720° QUE J'AI APPRIS
À FAIRE !), PUIS JE FAIS QUELQUES
PANIERS AVEC MON PÈRE, L'APRÈS-
MIDI, POUR NE PAS PERDRE LA FORME
PENDANT LES VACANCES D'HIVER.
ON SE VOIT DANS QUELQUES JOURS
MON VIEUX !
VIVE LES WILDCATS !
TROY



À : Allyoop
DE : Gabriellam
RE : Ça va ?

Salut, ça va ? As-tu pu profiter des vacances d'hiver ou as-tu plutôt passé le plus clair de ton temps le nez plongé dans tes livres de chimie ? Je passe de très bons moments à la station de ski, même si je m'ennuie beaucoup de toi (et de Susan, Kay, Jennifer et de tous les amis de *Medford High*)! Je dois dire que j'étais vraiment triste lorsque ma mère m'a annoncé que je devais une fois de plus changer de lycée... en plein milieu de l'année scolaire ! Lorsque je suis arrivée ici, j'ai d'abord passé de longues heures calée dans une chaise bien confortable tout près du feu pour lire l'un des nombreux romans que j'ai apportés avec moi (ça ne t'étonne pas ?). Mais il fait si bon dehors, et la neige est si belle que j'ai finalement décidé d'essayer le ski. Maman et moi avons pris quelques cours, et même si je suis tombée plusieurs fois, nous nous sommes bien amusées.

Demain soir, c'est la grande fête du Nouvel An. La station de ski organise une soirée spéciale pour les jeunes. Maman dit que je dois ABSOLUMENT y aller. Je suis sûre que je serai nerveuse et que je passerai un mauvais quart d'heure (je sais, je sais, je dois surmonter ma timidité ! Je travaillerai fort là-dessus, d'accord ?). Je t'écrirai un autre courriel pour te raconter ma soirée. Je n'ai rien d'autre à ajouter pour le moment. Je te réécrirai lorsque je serai à mon nouveau lycée pour te raconter comment ça se passe.

Réponds-moi !

Tu me manques !

XOXO,
Gabriella

La station de ski Sky Mountain
vous invite cordialement à sa

# SUPER SOIRÉE DU NOUVEL AN !

Réservée aux jeunes !

Buffet à volonté à minuit !
Concours de karaoké !
Nombreux prix à gagner !
Avec le groupe de musiciens local :
Barry et les Barry-tons !

Venez fêter la nouvelle année et
laissez-vous emporter par la danse !

## CONSEILS KARAOKÉ

Par Troy et Gabriella

- Nous savons bien que c'est terrifiant de monter sur scène la première fois pour chanter au karaoké, mais ça vaut vraiment la peine ! Vous n'avez qu'à suivre ces petits conseils, et tout marchera comme sur des roulettes !

- Choisissez une chanson que vous connaissez bien. Vous serez plus à l'aise pour la chanter et vous pourrez vous concentrer sur votre performance plutôt que sur les paroles.

- Choisissez une chanson qui convient bien à votre voix.

- Ne fixez pas l'écran qui affiche les paroles tout au long de la chanson ! Regardez les spectateurs, efforcez-vous de remuer des hanches et amusez-vous !

- Faites attention à l'utilisation du micro ! Vous risquez de le briser ou de frapper quelqu'un à la tête en le balançant de tous les côtés !

- À propos du micro : si vous vous apprêtez à chanter une note aiguë, tenez-le à quelques centimètres de votre bouche. Les tympans des spectateurs vous en seront reconnaissants !

- Ne vous laissez pas intimider par la performance impressionnante d'un participant ! Chacun peut interpréter sa chanson préférée comme il lui plaît !

- Enfin, n'oubliez pas d'applaudir et d'encourager les autres chanteurs ! Après tout, nous formons tous une grande équipe !

Gabriella se sent très nerveuse dès la première journée de lycée à East High. Bien que l'emploi de sa mère l'oblige à déménager très souvent et à devoir changer de lycée à tout bout de champ, ce n'est jamais facile de mettre les pieds dans un lycée rempli d'inconnus. Heureusement que la secrétaire lui a donné de la documentation contenant toutes sortes d'informations à propos d'East High et des redoutables Wildcats.

EHS

BIENVENUE AU LYCÉE EAST HIGH !

Documentation pour les nouveaux élèves

Chère *Gabriella Montez*

Nous tenons à ce que vous bénéficiez d'un enseignement enrichissant et à ce que vous vous plaisiez dans notre établissement scolaire ! Une grande variété de clubs étudiants, d'activités parascolaires et d'équipes sportives vous est proposée. Nous espérons donc que vous serez tentée par l'une de ces activités ! Pour commencer, voici quelques anecdotes à propos d'East High !

Si vous avez des questions ou des préocupations ou voulez de plus amples renseignements, sachez que la porte est toujours grande ouverte !

Nous vous remercions et vous prions d'agréer, Mademoiselle, nos salutations distinguées,

*Directeur Matsui*

Directeur Matsui

EAST HIGH

WILDCATS

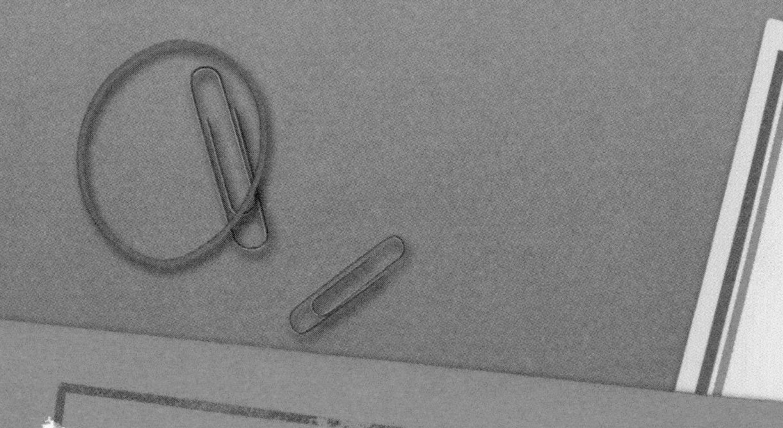

## CHANT D'ENCOURAGEMENT

CHANTEZ TOUS POUR LES WILDCATS !
C'EST ICI QUE ÇA SE PASSE !
LES WILDCATS SONT À LEUR PLACE !
C'EST PARTI, CRIONS POUR EUX !
LES WILDCATS SONT EN FEU !
LEVEZ LES BRAS EN L'AIR ! (FRAPPEZ DES MAINS)
MONTRONS CE QU'ON SAIT FAIRE ! (FRAPPEZ DES PIEDS)
WILDCATS !
WILDCATS !
WILDCATS !
(FRAPPEZ DES MAINS ET DES PIEDS)
HOURRA !
QUI ÇA ?
WILDCATS !

## CHANT DES COMBATTANTS

HOURRA POUR LES WILDCATS !
RUGISSEZ ET FONCEZ VERS LA VICTOIRE !
LES WILDCATS ONT INVESTI LA PLACE !
ILS FONCENT À TOUTE VITESSE VERS LA GLOIRE !
VIVE LES WILDCATS !
VIVE LES WILDCATS !
VIVE LES WILDCATS !
VIVE LES WILDCATS !

WILDCATS

# DOCUMENTATION POUR LES NOUVEAUX ÉLÈVES

Lorsque arrive le moment de monter la comédie musicale d'hiver, les rivalités éclatent autant sur scène qu'en coulisses ! Tout le monde sait que Sharpay et Ryan Evans décrochent toujours les rôles principaux, mais cette année, ils se sont fait évincer par deux acteurs débutants : Troy Bolton et Gabriella Montez. Alors, la tension monte en coulisses ! Le spectacle doit continuer coûte que coûte ! Tout le monde doit se serrer les coudes pour que Twinkle Towne soit l'une des meilleures comédies musicales jamais présentées à East High !

Inscrivez-vous ici!

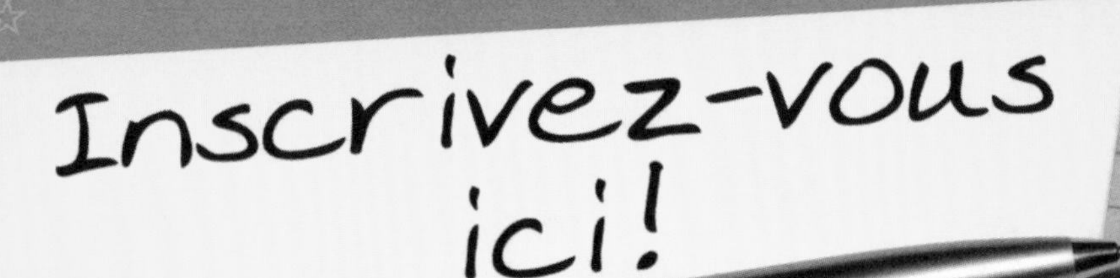

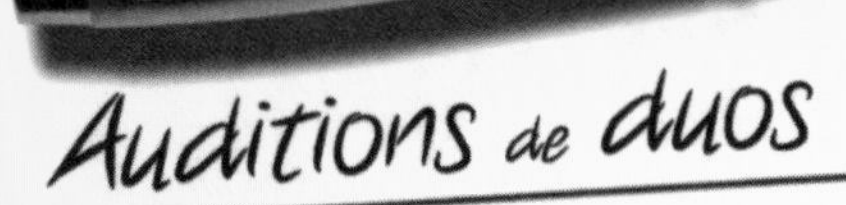

Auditions de duos

Sharpay Evans (et Ryan)

Auditions de solos

JASON Susan Ally Jo Alan

Howard Cathy

Auditions de « Twinkle Towne »

| | |
|---|---|
| Jason | Timide. Peut-être un figurant. Convient bien au décor. |
| Susan | Aïe ! Joue très faux ! Peut-être l'an prochain. |
| Ally-Jo | Pourrait faire partie du chœur avec du travail. Avec beaucoup de travail. |
| Alan | Jolies chaussures. Dommage que la voix le soit moins. |
| Cyndra | Chante des notes que seuls les chiens arrivent à entendre. |
| Howard et Cathy | Culbutes, gestes étranges de la main, voix monotone... NON ! |
| Sharpay | Extraordinaire ! Une vraie étoile montante ! OUI ! |
| Ryan | Que joli pas de danse ! J'adore les mouvements de la main ! Très jazz. Bravo ! |

# DEUXIÈME AUDITION

<u>Rôles d'Arnold et de Minnie</u>

Deuxième audition jeudi à 15 h30 à l'auditorium
Sharpay Evans et Ryan Evans
Gabriella Montez et Troy Bolton

## CONSIGNES À PROPOS DU THÉÂTRE DE M^ME^ DARBUS

Tous les membres de la faculté de théâtre sont tenus de suivre à la lettre les consignes mentionnées dans ce livret. Bien que cela puisse sembler étrange aux yeux de ceux qui ne possèdent pas mon expérience théâtrale, je vous assure que ces consignes reposent sur l'expérience de milliers de comédiens ayant marqué les siècles ! Soyez bien attentif... certains n'y voient que des superstitions, mais nombreux sont ceux qui jugent prudent de respecter ces consignes !

- N'ouvrez **JAMAIS** un parapluie sur scène. (Si toutefois votre personnage est tenu d'ouvrir un parapluie sur scène dans le contexte d'une œuvre, faites-le en pointant le parapluie vers le bas afin de conjurer le mauvais sort.)

- Ne mentionnez **JAMAIS** le nom Macbeth, de William Shakespeare, autour d'un théâtre ! Faites plutôt mention de la « pièce écossaise ». Nombreux sont les malchanceux qui ont enfreint cette règle.

- Ne dites **JAMAIS** « bonne chance » aux comédiens avant qu'ils montent sur scène. Utilisez plutôt le mot de Cambronne (cinq lettres).

- Ne sifflez **JAMAIS** en coulisses ou dans les loges. Si vous le faites, la pièce sera vouée à l'échec (et vous serez renvoyé).

- Ne regardez **JAMAIS** le public entre les rideaux lorsque vous êtes en coulisses.

- Ne laissez **JAMAIS** un théâtre dans l'obscurité totale. Laissez toujours une lumière allumée au centre de la scène lorsque le théâtre est vide. Ceci chassera les fantômes qui cherchent à hanter le théâtre (c'est pour cette raison qu'on appelle cette lumière une « lumière fantôme »).

*Ne vous en faites pas si la générale ne se passe pas très bien. Une bonne générale annonce que la première ne se déroulera pas bien du tout, alors qu'une mauvaise générale annonce que tout ira bien tout au long de la soirée.*

Entre les auditions et la première, il y a beaucoup de travail pour assurer le succès de la comédie musicale ! On doit construire le décor (heureusement qu'il y a toujours des élèves en retenue pour s'en occuper !), veiller à la conception et à la confection des costumes ainsi qu'à la chorégraphie des numéros de danse. Vérifiez toujours l'horaire des répétitions – les comédiens et les techniciens passent de nombreuses heures à tout mettre en œuvre pour présenter le meilleur spectacle qui soit !

Croquis des costumes pour Minnie – « Twinkle Towne » (Création en cours) par Sharpay Evans

*Trop vulgaire ! Pensez classique et plus élégant pour une allure digne de Minnie !*

*Excellent ! Un costume parfait pour le personnage !*

*Madame Darbus*

*Mieux, mais les paillettes ne semblent pas appropriées.*

# FÉVRIER

| Horaire des répétitions de *Twinkle Towne** DERNIÈRE SEMAINE ! *Sous réserve de changements | 6 **Répétition de l'acte I** *Troy, Gabriella, Sharpay, Ryan* | 7 **Répétition de l'acte II** *Troy, Gabriella, Sharpay, Ryan* | 8 **Mise en place des figurants** Répétition des chorégraphies pour les numéros musicaux. | 9 **Journée de congé** *Mais pratiquez tout de même votre texte !* | 10 **Mise au point du son et de la lumière** *Tout le monde* | 11 **Mise au point technique** *Préparez-vous à rester tard !* |
|---|---|---|---|---|---|---|
| | 13 | 14 | 15 | *Faites plusieurs copies de cet horaire ! Affichez-le dans votre chambre à coucher, dans votre casier, dans votre sac à dos et dans votre sac à main ! « Je n'avais pas l'horaire sous la main » ne sera pas une excuse !* | | |

… SOYEZ PRÊTS À ÉBLOUIR LE PUBLIC !

FOND DE LA SCÈNE : Le fond de la scène se trouve près du mur arrière.
HORS-SCÈNE : Les entrées sont sur les côtés de la scène.
CÔTÉ JARDIN : À droite du comédien qui fait face au public.
CÔTÉ COUR : À gauche du comédien qui fait face au public.
AVANT-SCÈNE : L'avant de la scène est situé près du public.
Liste des accessoires pour la pièce « Twinkle Towne »
- Rivière de diamants
- Échelle
- Guirlande
- Boule disco
- Lampe de table, abat-jour orné de perles
- Lampe sur pied, abat-jour en verre teinté
- Guirlande de lumières (3 fils de lumières blanches; 3 fils de lumières multicolores)
- Lampe à lave
- Chandelles (7)
- Statue recouverte de paillettes dorées
- Télescope
- Carte du ciel
- Affiche d'une ville illuminée la nuit
- Affiches en lumières noires (5)
- Lumière noire
- Veilleuses (4)
- Hauts de forme à sequins (12)
- Lampes de poche (5)

Grâce aux qualités de leader du capitaine Troy Bolton, l'équipe de basket remporte le championnat régional pour la première fois en trois ans. Les élèves d'East High ne sont pas près d'oublier le panier décisif en toute fin de partie qui leur a donné la victoire. Les souvenirs qui suivent sont d'ailleurs là pour leur rafraîchir la mémoire.

Formation partante des Wildcats d'East High

## Composition de l'équipe

| Nom du joueur | Position | Groupe |
|---|---|---|
| Troy Bolton | Attaquant | Junior |
| Chad Danforth | Arrière | Junior |
| Zeke Baylor | Centre | Junior |
| Jason Cross | Attaquant | Junior |
| Austin Anderson | Arrière | Senior |

## Calendrier des matchs de basket des Wildcats d'East High

| Wildcats d'East High contre équipe adverse | Date | Heure | À domicile/À l'étranger |
|---|---|---|---|
| Wildcats d'East High contre Knights de West High | 30/11 | 19 h | À domicile |
| Wildcats d'East High contre Tigers de South High | 07/12 | 19 h | À l'étranger |
| Wildcats d'East High contre Norseman de North High | 14/12 | 19 h | À domicile |
| Wildcats d'East High contre Anglers d'Angleton High | 21/12 | 19 h | À l'étranger |
| Wildcats d'East High contre Mustangs de Crossville High | 04/01 | 19 h | À domicile |
| Wildcats d'East High contre Lions de Pearland High | 11/01 | 19 h | À l'étranger |
| Wildcats d'East High contre Archers de Deer Park High | 18/01 | 19 h | À domicile |
| ... d'East High contre ... | | | |

WILDCATS
WILDCATS
Calendrier des matchs de basket des Wild
Wildcats d'East High contre équipe adverse
Wildcats d'East High contre Knights de
Wildcats d'East High contre

WILDCATS
WILD CATS

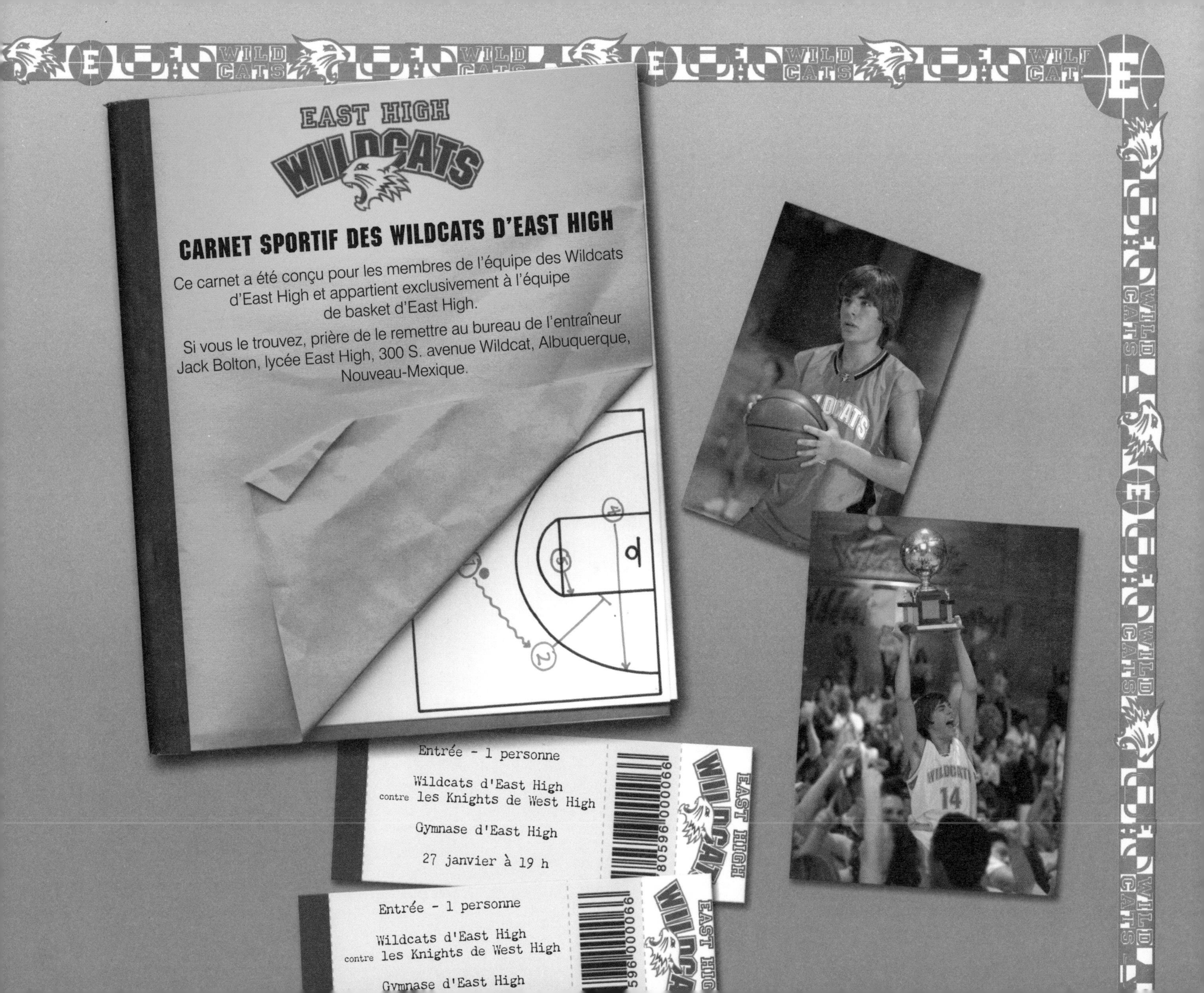
EAST HIGH
WILDCATS
CARNET SPORTIF DES WILDCATS D'EAST HIGH
Ce carnet a été conçu pour les membres de l'équipe des Wildcats d'East High et appartient exclusivement à l'équipe de basket d'East High.
Si vous le trouvez, prière de le remettre au bureau de l'entraîneur Jack Bolton, lycée East High, 300 S. avenue Wildcat, Albuquerque, Nouveau-Mexique.
Entrée - 1 personne
Wildcats d'East High
contre les Knights de West High
Gymnase d'East High
27 janvier à 19 h
Entrée - 1 personne
Wildcats d'East High
contre les Knights de West High
Gymnase d'East High

Le lycée *East High* fourmille d'activités, et ce, même après la fin des classes ! De la troupe de théâtre au comité de l'album des finissants, en passant par le conseil étudiant, chaque après-midi offre un tas d'activités amusantes à faire entre amis.

AD FESTAM
INVITATUS ES !

POUR... QUOI ?
UN BANQUET
ROMAIN

QUAND ?
LE 15 MARS À 18 H

ORGANISÉ PAR
LE CLUB LATIN

PORT DE LA TOGE
FACULTATIF

CONCOURS ANNUEL
DU club de cuisine !

Un grand concours
de chefs cuisiniers !

L'ultime bataille des brûleurs !

Vous courez la chance de remporter
le championnat culinaire d'East High !

La cuisine de la cafétéria allumera ses
fours samedi le 17 mars à 14 h !

INSCRIVEZ-VOUS MAINTENANT !

# HORAIRE DES ACTIVITÉS PARASCOLAIRES

| | LUNDI | MARDI | MERCREDI | JEUDI | VENDREDI |
|---|---|---|---|---|---|
| Local 121 | Théâtre | Théâtre | Théâtre | Théâtre | Théâtre |
| Local 122 | Club de débats | Club d'échecs | Club de débats | Club d'échecs | Club de débats |
| Local 123 | Album | Journal | Album | Journal | Album |
| Local 124 | Clubs honorifiques | Club littéraire | Clubs honorifiques | Club littéraire | Clubs honorifiques |
| Local 125 | Décathlon scolaire | Décathlon scolaire | Décathlon scolaire | Décathlon scolaire | Décathlon scolaire |
| Local 126 | Club français | Club latin | Club espagnol | Club allemand | Club italien |
| Local de chorale | Chorale | Chorale | Chorale | Chorale | Chorale |
| Local de musique | Orchestre | Orchestre | Orchestre | Orchestre | Orchestre |
| Local 127 | Conseil étudiant | Conseil étudiant | Conseil étudiant | Conseil étudiant | Conseil étudiant |

LA « CALCULATRICE » LA PLUS RAPIDE AU PAYS.
PRIX DE MÉRITE EN MATHÉMATIQUE 2008
PREMIÈRE PLACE
LA PLUS GRANDE « GUEULE » AU PAYS
Excellence en diction
Club de délibération 2008
Le plus grand « rat de bibliothèque »
Club littéraire 2008
1ÈRE PLACE
Invitation

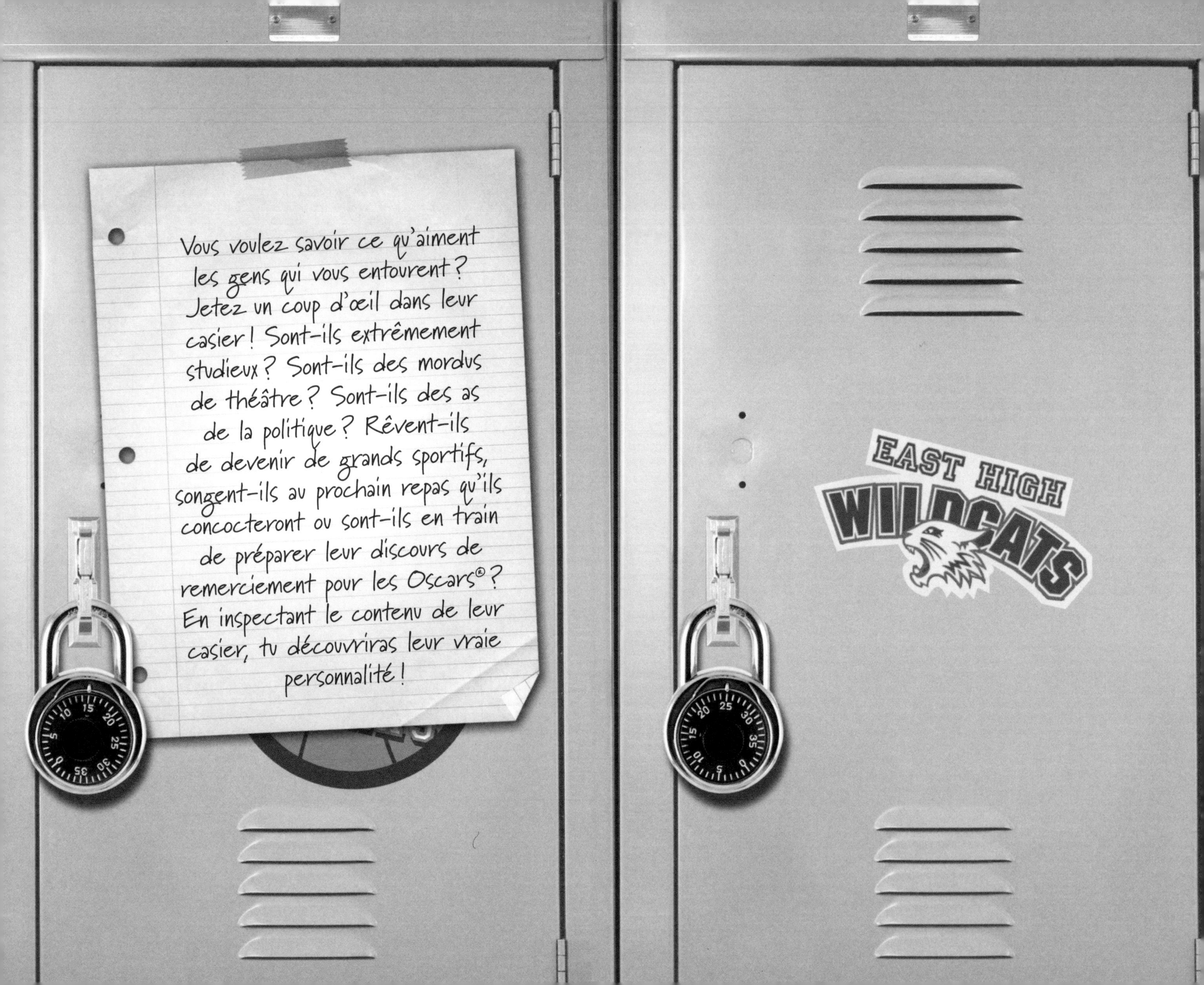
Vous voulez savoir ce qu'aiment les gens qui vous entourent ? Jetez un coup d'œil dans leur casier ! Sont-ils extrêmement studieux ? Sont-ils des mordus de théâtre ? Sont-ils des as de la politique ? Rêvent-ils de devenir de grands sportifs, songent-ils au prochain repas qu'ils concocteront ou sont-ils en train de préparer leur discours de remerciement pour les Oscars® ? En inspectant le contenu de leur casier, tu découvriras leur vraie personnalité !
EAST HIGH
WILDCATS

E
WILDCATS
SHARPAY

# La meilleure Crème Brûlée du pays !

Nos éditeurs parcourent le pays pour offrir ce dessert aux meilleurs restaurants. Ils ont ainsi convaincu les plus grands pâtissiers du pays de nous offrir leurs recettes !

Troy,

Veux-tu qu'on se rencontre après les cours devant les marches du lycée? J'ai une envie de pizza!

Gabriella

WILDCATS

WILDCATS

# EHS

**HORAIRE DES COMPÉTITIONS DU DÉCATHLON SCOLAIRE**

**VENDREDI**

| | |
|---|---|
| 8 h 20 - 9 h 15 | Concours de dissertation |
| 9 h 25 - 9 h 50 | Super quiz (épreuve écrite) |
| 10 h 10 - 10 h 15 | Inspection des calculatrices |
| 10 h 15 - 10 h 45 | Concours de mathématiques |
| 10 h 50 - 11 h 20 | Concours scientifique |
| 11 h 25 - 11 h 55 | Concours de musique |
| 12 h - 13 h | Dîner |
| 13 h 05 - 13 h 35 | Langue et littérature |
| 13 h 40 - 14 h 10 | Économie |
| 14 h 15 - 14 h 45 | Art |

**SAMEDI**

| | |
|---|---|
| 10 h - 12 h | Discours et entrevues |
| 12 h - 13 h | Dîner |
| 13 h - 15 h | Suite des discours et entrevues |
| 15 h - 17 h | Pause |
| 17 h - 18 h 30 | Super quiz à relais |
| 19 h - 21 h | Cérémonie de remise des prix et souper |

SALUT GABRIELLA,

T'AS ENVIE D'UNE AVENTURE DANS LA NATURE ? TRAVERSE LA PORTE JAUNE ET MONTE LES ESCALIERS. À BIENTÔT JE L'ESPÈRE !

TROY

1 MATHÉMATIQUES

Très chère Sharpay,

Malgré ce que plusieurs croient, je sais pertinemment que tu es la plus tendre des filles! Je t'offre ces biscuits aux amandes en signe de mon dévouement!

Je t'embrasse,
Zeke

Oubliez les dessins à l'aquarelle de votre arrière-cour ou les peintures à l'huile de votre chien ! M. Beres, le professeur d'arts plastiques d'East High, opte toujours pour l'originalité lorsque vient le temps de créer des œuvres artistiques : « Chaque œuvre que vous créez doit révéler une partie de votre âme. » L'exercice qui suit en est un bon exemple !

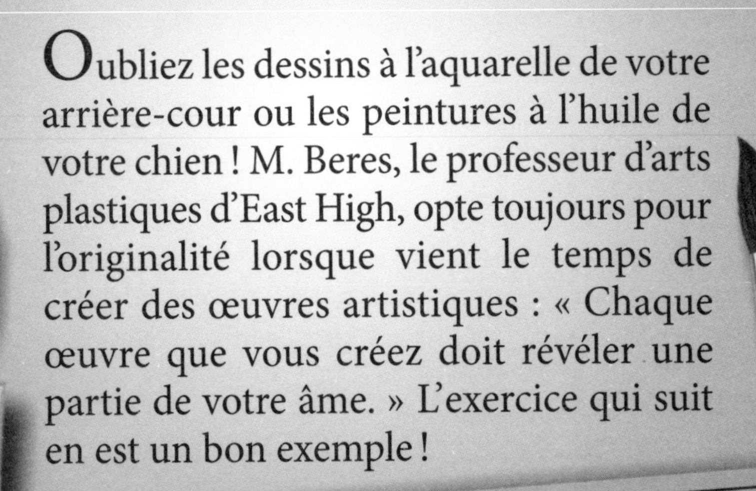

## Exercice N° 12

La plupart des autoportraits représentent le visage de l'artiste, mais cet exercice a pour but de pousser le concept « d'autoportrait » un peu plus loin, puisque vous ne serez pas invités à vous dessiner. Je préfère que vous réalisiez cet autoportrait comme une nature morte en utilisant un ou plusieurs objets qui vous représentent vraiment.

Par exemple, si vous êtes un mordu de cinéma qui regarde un nouveau DVD tous les soirs, vous pouvez faire un croquis de votre télévision ou alors essayer de représenter les affiches de vos films préférés. Si vous jouez au tennis une fois par semaine pour améliorer votre service, vous pouvez créer une nature morte avec une raquette et quelques balles de tennis.

L'intérêt de cet exercice est de faire ressortir ce qui vous passionne. L'étape suivante consiste à faire un autoportrait sous forme de nature morte qui illustre ce que vous avez en vous. Toutes les techniques sont acceptées : aquarelle, collage, fusain, peinture à l'huile, acrylique, crayon.

Date de remise : mardi prochain. Soyez prêts à présenter votre création devant la classe et à en discuter.

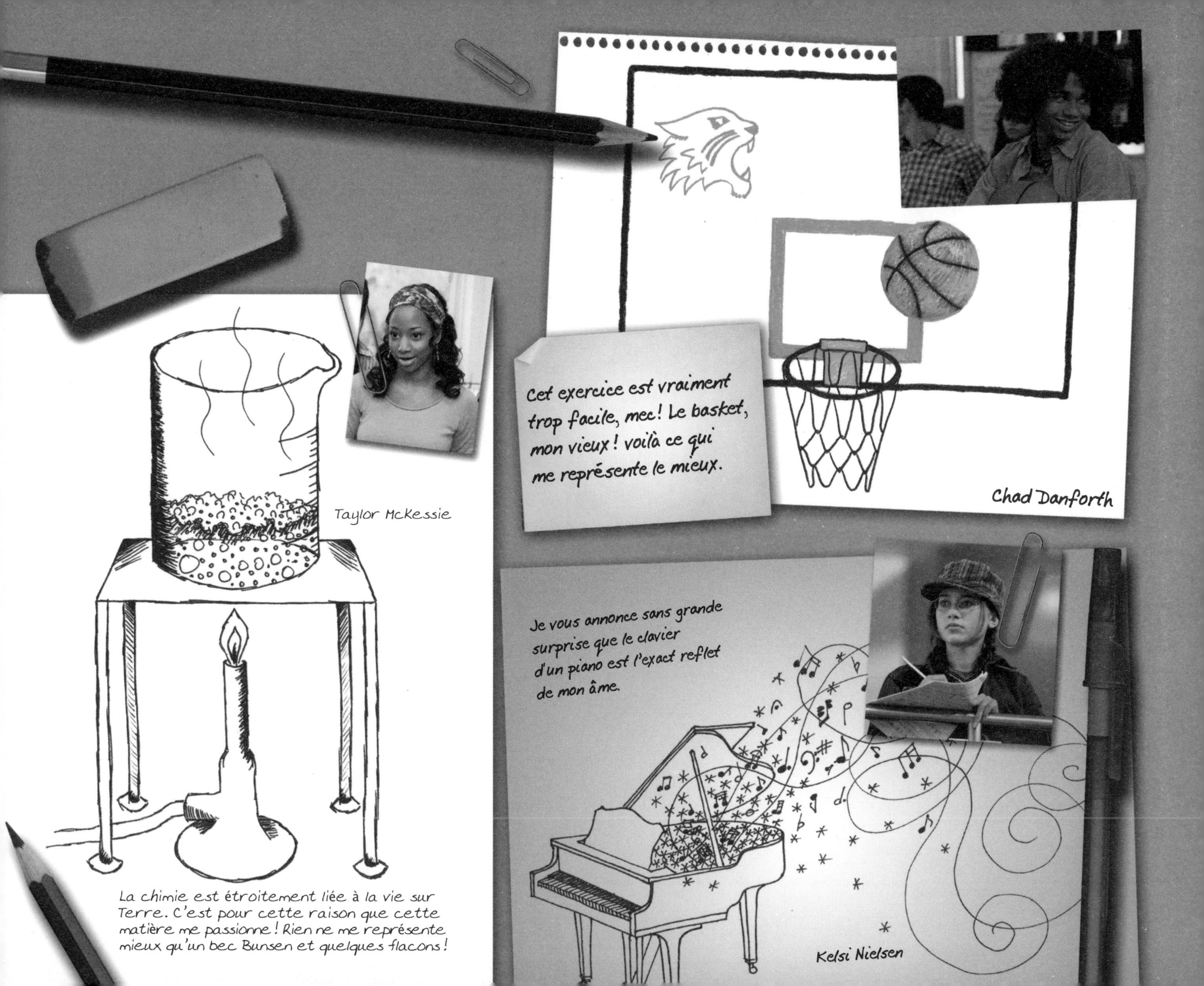
Taylor McKessie
La chimie est étroitement liée à la vie sur Terre. C'est pour cette raison que cette matière me passionne ! Rien ne me représente mieux qu'un bec Bunsen et quelques flacons !
Cet exercice est vraiment trop facile, mec ! Le basket, mon vieux ! voilà ce qui me représente le mieux.
Chad Danforth
Je vous annonce sans grande surprise que le clavier d'un piano est l'exact reflet de mon âme.
Kelsi Nielsen

Sharpay a toujours secrètement rêvé de faire partie de l'aristocratie et, au Club de loisirs de Lava Springs, elle est presque considérée comme une reine ! Après tout, son père est le président-fondateur du club, et sa mère est la directrice du comité d'adhérents. Le Club de loisirs de Lava Springs est un peu comme la deuxième résidence de Sharpay et Ryan. Le club possède un terrain de golf, une piscine, un institut de beauté, un restaurant, une salle de gym et une scène conçue spécialement pour Sharpay ! Que pourrait-elle demander de plus (sinon un petit ami nommé Troy…) ?

Plan du terrain de golf

Mademoiselle Sharpay Evans
Club de loisirs de
LAVA SPRINGS
Numéro de membre :
003
Privilège :
Tout ce qu'elle désire
Membre depuis :
Toujours
VIP
Personne très importante
Sans parler d'une vive source d'inspiration et de personnalité!
APPARTIENT À :
Sharpay Evans
Maître Ryan Evans
Club de loisirs de
LAVA SPRINGS
Numéro de membre :
004
Privilège :
Illimités
Membre depuis :
La naissance
VIP
Personne très importante
SOIRÉE CINÉMA
EAST HIGH SCHOOL
Nom : Sharpay Evans
Classe : Junior

Sharpay

# CONSEILS DU BON GOLFEUR SELON TROY, FEUILLE N° 3

1. N'OUBLIEZ PAS DE VOUS RÉCHAUFFER !
   LES ÉTIREMENTS VOUS PERMETTRONT DE RESTER SOUPLES ET DÉTENDUS.

2. NE SERREZ PAS TROP FORT LE BÂTON.
   VOUS AVEZ BESOIN D'UN PEU DE SOUPLESSE DANS LE POIGNET POUR DONNER DE LA FORCE À VOTRE ÉLAN.

3. N'OUBLIEZ PAS DE BIEN CONSERVER VOTRE ÉQUILIBRE.

4. FRAPPEZ DESSOUS LA BALLE PLUTÔT QUE DESSUS.
   ÇA SEMBLE ÉTRANGE, MAIS ÇA FONCTIONNE !

5. CHAQUE FOIS QUE VOUS PRATIQUEZ, FAITES COMME SI VOUS JOUIEZ UNE VRAIE PARTIE.

Prochain cours :
mardi @ 15 h

N.B. Acheter une nouvelle tenue !!!

| Numéro du trou | 1 | 2 | 3 | 4 | 5 | 6 | 7 | 8 | 9 | 10 | 11 | 12 |
|---|---|---|---|---|---|---|---|---|---|---|---|---|
| **Verges** | **164** | **146** | **232** | **202** | **168** | **208** | **224** | **304** | **196** | **147** | **263** | **251** |
| Normale | 3 | 3 | 4 | 3 | 3 | 4 | 4 | 5 | 3 | 3 | 4 | 4 |
| TROY | 3 | 3 | 5 | 3 | 4 | 3 | 5 | 6 | 2 | 4 | 5 | 3 |
| M. Evans | 3 | 5 | 4 | 6 | 5 | 5 | 7 | 4 | 2 | 4 | 5 | 4 |

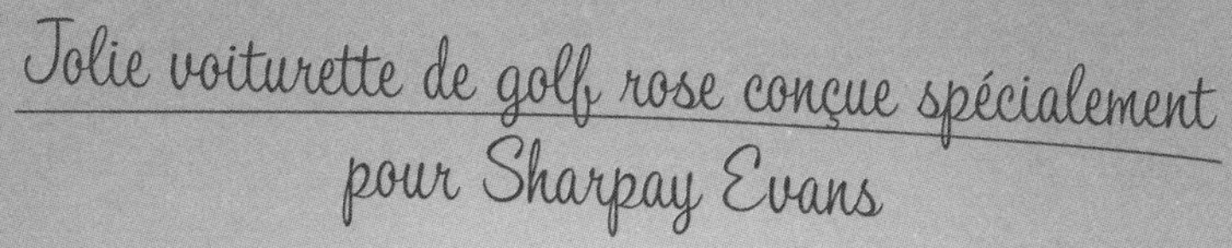

Jolie voiturette de golf rose conçue spécialement pour Sharpay Evans

Sous le tableau de bord

Lecteur de DVD – Regarder un film peut aider à faire passer le temps lorsque la partie de golf devient un peu... ennuyeuse (ne le dites surtout pas à Troy) !

Lecteur MP3 – La musique m'est indispensable comme bande-son pour illustrer mon quotidien!

À l'arrière

Batteur pour lait fouetté – Le golf me donne parfois très soif !

Réfrigérateur – Ce dernier contient toutes les denrées essentielles : boissons gazeuses, salade de fruits et quantité de crèmes pour le visage.

À l'avant

Mes initiales – je veux simplement faire comprendre à tout le monde que cette petite voiture m'appartient !

Nom : Taylor McKessie
Numéro d'employé : 2149
Employé depuis : 1er juin
Statut : Classe 2 – administration

Nom : Kelsi Nielsen
Numéro d'employé : 2475
Employé depuis : 1er juin
Statut : Classe 2 – divertissement

# Horaire de t

## Club de loisirs de Lava S

| | Troy | Gabriella | Chad | Zeke | Jason | Taylor | Kelsi | M |
|---|---|---|---|---|---|---|---|---|
| Lundi | Cadet | Sauveteur | Cadet | Commis du chef pâtissier : croissants, sablés danois | Service aux tables | Journée familiale de golf | Jouer du piano au petit-déjeuner | CO |
| Mardi | Terrain de pratique | Sauveteur | CONGÉ | Commis du chef pâtissier : éclairs, crème anglaise | Service aux tables | CONGÉ | Accompagner Sharpay lors de sa répétition | la |
| Merc. | Cours de golf pour les enfants | Sauveteur | Cadet | CONGÉ | Service aux tables | Grande soirée dansante | CONGÉ | Netto le |
| Jeudi | CONGÉ | Sauveteur | Service aux tables | Commis du chef pâtissier : tartelettes, tartes | Service aux tables | Soirée cinéma | Jouer du piano au petit-déjeuner | la |
| Vend. | Cadet | CONGÉ | Service aux tables | Commis du chef pâtissier : sablés aux pacanes, roulés à la cannelle | Laver la vaisselle | Événement crème glacée | Jouer du piano à l'heure du thé | Netto l |
| Sam. | Cadet | Sauveteur | Service aux tables | Commis du chef pâtissier : strudel, pouding au pain | CONGÉ | Tournoi de tennis à la ronde | Répétition toute la journée | C |
| Dim. | CONGÉ | CONGÉ | CONGÉ | CONGÉ | CONGÉ | CONGÉ | CONGÉ | C |

MATRICULE DE L'EMPLOYÉ
L
S
Nom : Zeke Baylor
Numéro d'employé : 2376
Employé depuis : 1er juin
Statut : Classe 3 – restauration
ZEKE

TAYLOR

## Yogourt frappé aux fruits et aux bananes du Club Lava Springs

- Déposer 8 oz de yogourt nature, aux fruits ou à la vanille, 1/2 tasse de petits fruits et 1 banane de taille moyenne pelée dans le mélangeur.
- Demander à un adulte de vous aider à bien mélanger tous les ingrédients jusqu'à ce que le tout soit bien lisse (1 à 2 minutes).
- Servir immédiatement.

*Les pâtisseries constituent ma véritable passion, mais j'adore commencer une journée de travail dans la cuisine en sirotant un délicieux yogourt frappé! Il s'harmonise délicieusement avec mon gâteau quatre-quarts!*

**Sauveteur certifié**

Nom : Gabriella Montez

Certifiée depuis : 2006

Certificats : Secourisme, RCR, instructrice de sécurité nautique

## Ensemble de sauveteur de Gabriella

✓ LUNETTES DE SOLEIL : Les sauveteurs doivent être en mesure de repérer immédiatement les nageurs qui ont besoin d'aide; il n'est donc pas prudent d'avoir le soleil dans les yeux.

✓ SIFFLET : Il est interdit de courir autour de la piscine ! Il est interdit de chahuter à l'intérieur de la piscine ! Un simple coup de sifflet peut éviter un incident avant qu'il se produise.

✓ ÉCRAN SOLAIRE (FPS 30) : Si je ne m'enduis pas de crème solaire, je serai aussi rouge qu'un homard à la fin de mon quart de travail !

✓ VISIÈRE : Une autre bonne façon de se protéger du soleil (et J'ADORE la visière d'East High - vive les Wildcats) !

✓ BOUTEILLE D'EAU : Si vous passez la journée au soleil, il est essentiel de boire beaucoup d'eau pour ne pas se déshydrater. Quand il fait très chaud, vous pouvez verser de l'eau sur votre visage pour vous rafraîchir !

✓ TONGS : Les tongs sont très mignonnes et elles me protègent des petits cailloux et des morceaux de verre.

Recette de biscuits aux brisures de chocolat de Zeke
Ingrédients :
- 2 tasses de farine ordinaire
- 1 c. à thé de levure chimique
- 1 c. à thé de sel
- 1 tasse de beurre mou et non salé
- 1 tasse de sucre
- 1 tasse de sucre brun bien tassé
- 2 œufs
- 2 c. à thé d'extrait de vanille
- 2 tasses de brisures de chocolat mi-sucré
Instructions :
Dans un grand bol, mélanger la farine, la levure chimique et le sel. Dans un bol séparé, crémer le beurre et les sucres, puis ajouter les œufs un à la fois en remuant bien après avoir ajouté chacun d'eux. Ajouter l'extrait de vanille, puis verser peu à peu dans le mélange de farine jusqu'à ce que le tout soit bien incorporé. Ajouter les brisures de chocolat et remuer encore. Pour des biscuits plus mous, faire réfrigérer la pâte pendant 2 heures ou tout au long de la nuit. Demander à un adulte de vous aider à préchauffer le four à 350 °F (180 °C). Déposer des cuillérées bien remplies de pâte sur une plaque à pâtisserie anti adhérente de 10 x 15 po en laissant un espace de 3 po (environ 7 cm) entre chaque biscuit. Faire cuire de 10 à 12 minutes ou jusqu'à ce que la pâte devienne légèrement dorée. Laisser refroidir pendant 2 minutes, puis transférer les biscuits sur une grille et laisser refroidir complètement. Quantité : 44 biscuits. Servir immédiatement.

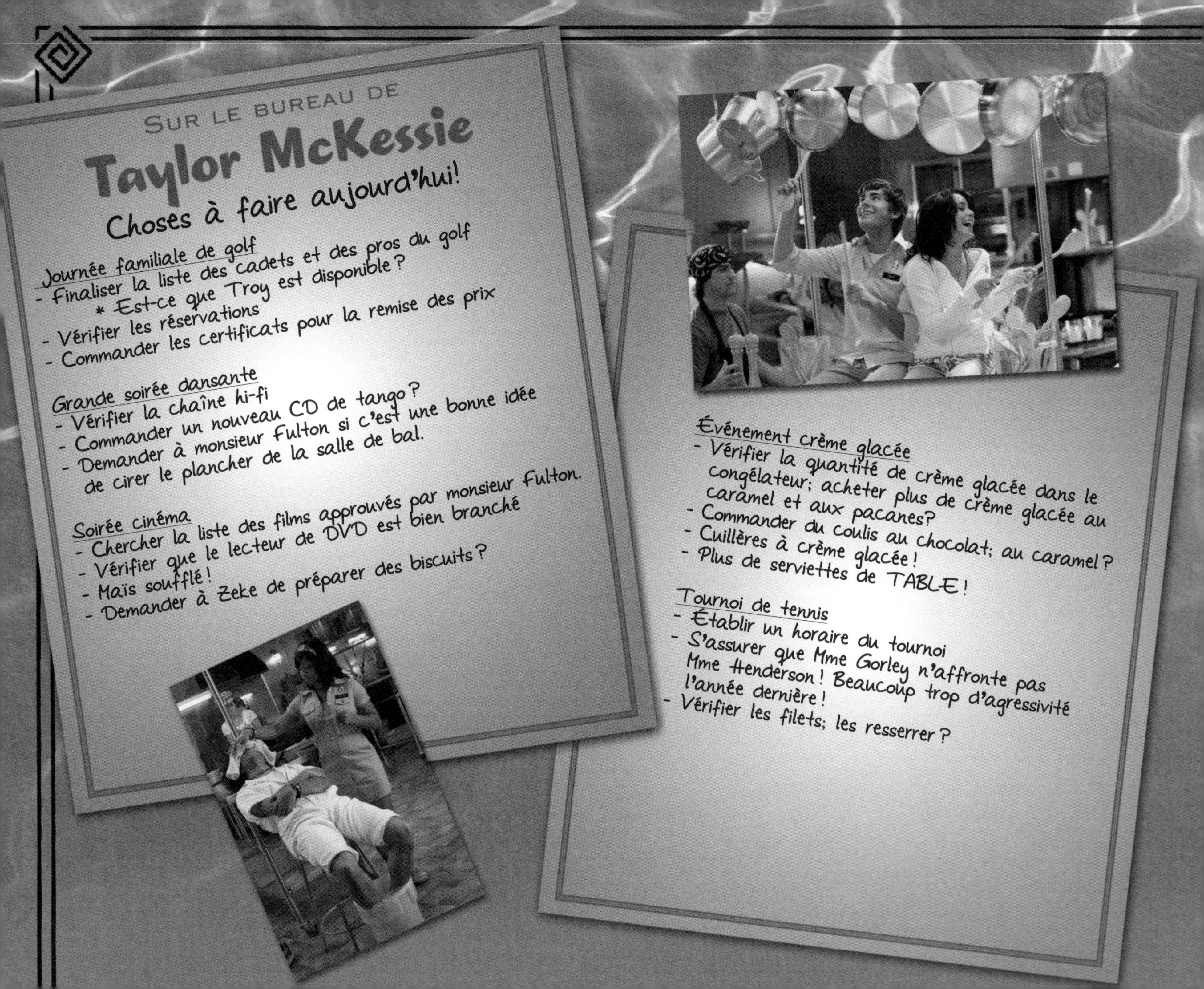

SUR LE BUREAU DE

# Taylor McKessie

## Choses à faire aujourd'hui!

Journée familiale de golf

- Finaliser la liste des cadets et des pros du golf
  - * Est-ce que Troy est disponible ?
- Vérifier les réservations
- Commander les certificats pour la remise des prix

Grande soirée dansante

- Vérifier la chaîne hi-fi
- Commander un nouveau CD de tango ?
- Demander à monsieur Fulton si c'est une bonne idée de cirer le plancher de la salle de bal.

Soirée cinéma

- Chercher la liste des films approuvés par monsieur Fulton.
- Vérifier que le lecteur de DVD est bien branché
- Maïs soufflé !
- Demander à Zeke de préparer des biscuits ?

Événement crème glacée

- Vérifier la quantité de crème glacée dans le congélateur; acheter plus de crème glacée au caramel et aux pacanes?
- Commander du coulis au chocolat; au caramel ?
- Cuillères à crème glacée !
- Plus de serviettes de TABLE !

Tournoi de tennis

- Établir un horaire du tournoi
- S'assurer que Mme Gorley n'affronte pas Mme Henderson ! Beaucoup trop d'agressivité l'année dernière !
- Vérifier les filets; les resserrer ?

À : Allyoop
DE : Gabriellam
RE : dernières nouvelles

Salut toi, ça va ? L'été s'annonce plein de folies ! Devine quoi ? J'ai été engagée comme sauveteur au Club de loisirs de Lava Springs ! C'est vraiment génial puisque plusieurs de mes amis travaillent aussi là-bas ! Oui, Troy fait partie de ceux-là ! Il a laissé son emploi dans les cuisines pour travailler comme cadet de golf et donner des cours aux enfants. Cela lui permet aussi d'être en relation avec des membres du club qui sont diplômés de l'Université d'Albuquerque. Ça le stresse quand même un peu puisque c'est *Sharpay* qui doit le présenter à tout le gratin. Elle et sa famille sont tous membres du club – des membres très importants, bien entendu ! Je crois tout de même que moi et le reste de la bande, nous nous amuserons plus qu'elle, cet été, et ce, même si nous devons travailler de longues heures (et avons affaire à monsieur Fulton, le directeur du club, qui nous fait tous un peu peur). Nous songeons peut-être même à auditionner pour le grand concours de jeunes talents du club de loisirs (je sais, j'ai beaucoup changé depuis mon arrivée à East High) ! Je dois y aller !

Réponds-moi !

Tu me manques !

XOXO,

Gabriella

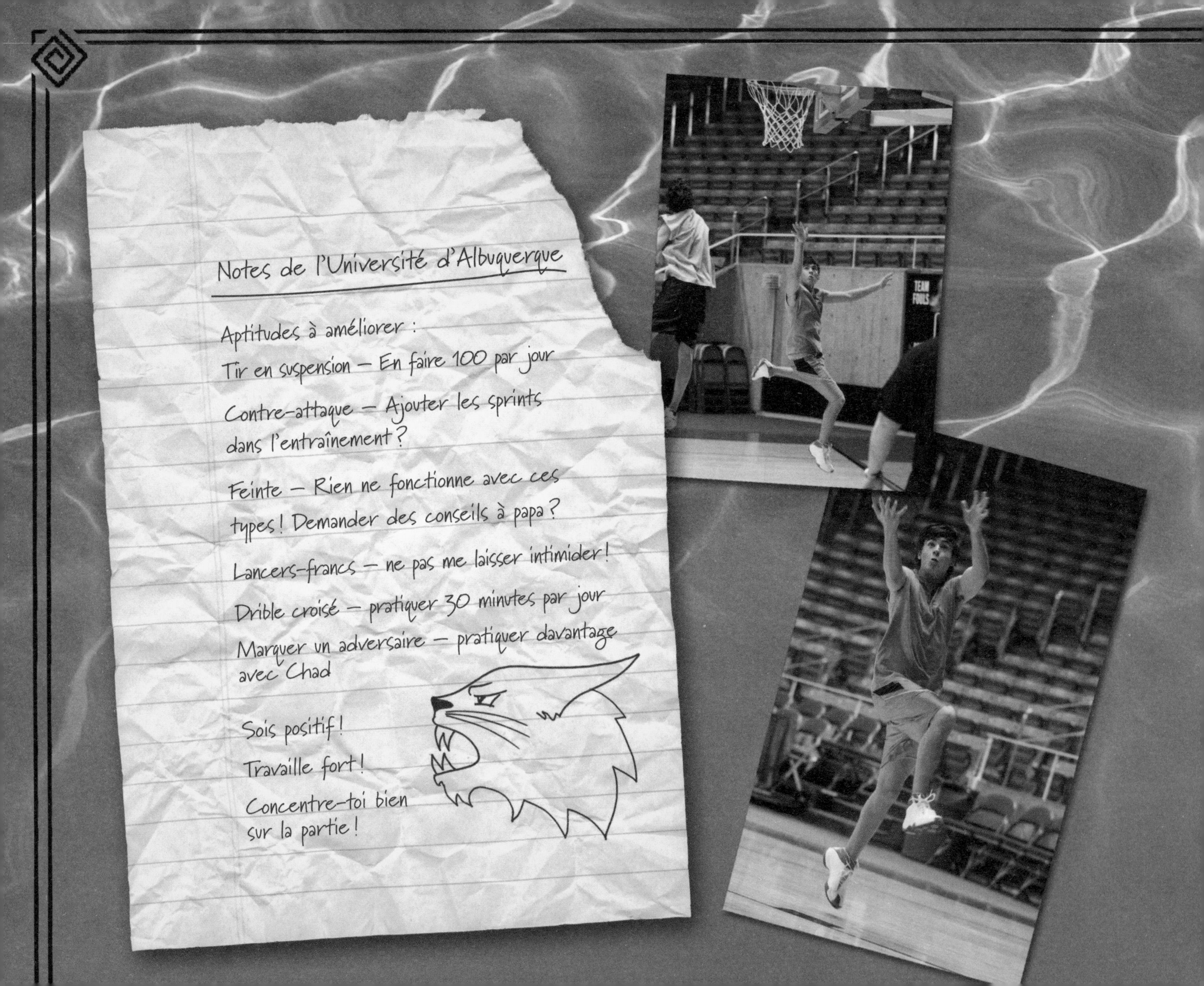
Notes de l'Université d'Albuquerque
Aptitudes à améliorer :
Tir en suspension – En faire 100 par jour
Contre-attaque – Ajouter les sprints dans l'entraînement ?
Feinte – Rien ne fonctionne avec ces types ! Demander des conseils à papa ?
Lancers-francs – ne pas me laisser intimider !
Drible croisé – pratiquer 30 minutes par jour
Marquer un adversaire – pratiquer davantage avec Chad
Sois positif !
Travaille fort !
Concentre-toi bien sur la partie !
TEAM FOULS

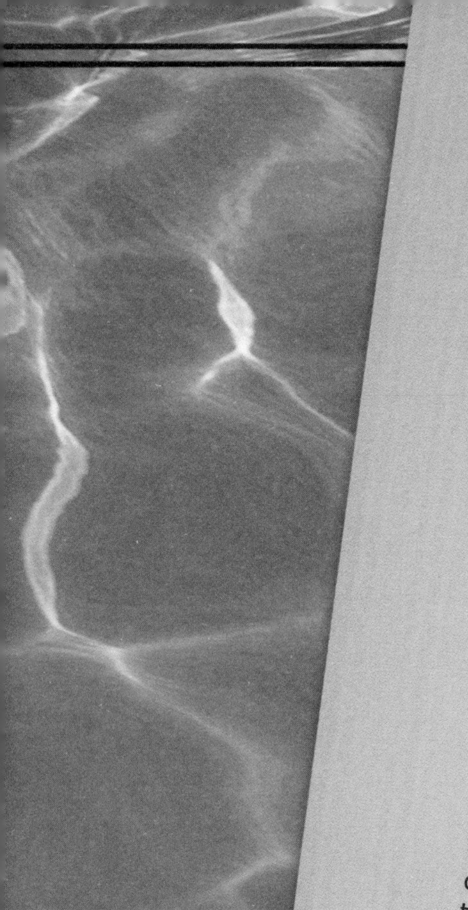

DE : Sharpay Evans
À : Monsieur Fulton
RE : Désordres à régler dans les plus brefs délais
NIVEAU D'IMPORTANCE : TRÈS ÉLEVÉ

Au cours des derniers jours, plusieurs incidents sont venus perturber mon quotidien. Ces troubles concernant le club doivent être réglés immédiatement.

1. Les trois dernières fois où j'ai dîné au restaurant, j'ai été dérangée par des éclats de rire provenant de la cuisine. C'est très désagréable pour les membres du club qui désirent manger en toute tranquillité. Laver la vaisselle ne devrait pas être une partie de plaisir ! Ou du moins pas à ce point !

2. La semaine dernière, l'emploi du temps de Troy Bolton sur le terrain de pratique était incompatible avec mes rendez-vous au salon de beauté. Ceci étant dit, il est ABSOLUMENT nécessaire qu'on me fasse une manucure, une pédicure et un traitement facial toutes les semaines, et je dois ABSOLUMENT assister aux cours de Troy au moins deux fois par semaine. Son emploi du temps doit donc être modifié afin de répondre à mes désirs.

3. J'ai remarqué que celle qui occupe le poste de sauveteur porte un maillot très mignon en service. Est-ce sécuritaire? Est-ce qu'il ne risque pas de distraire les nageurs? Je crois qu'un maillot une pièce de couleur sobre serait plus approprié et conviendrait davantage au sérieux de sa mission.

4. Le piano est ENCORE désaccordé. Une artiste de mon niveau ne peut se contenter d'un instrument dans un piteux état. Vous n'avez qu'à l'accorder ou à en acheter un nouveau.

5. Le projecteur éclairant le portrait de ma famille dans le hall est grillé. Changez-le immédiatement !

Je vous prie de régler ces problèmes dans les plus brefs délais et de me faire un compte rendu sur l'évolution de cette situation.

Bien à vous,

*Sharpay Evans*

Sharpay Evans

L'éblouissant concours annuel de jeunes talents est l'un des événements de l'été les plus importants du Club de loisirs de Lava Springs. Certains possèdent des talents plutôt… douteux, et heureusement que Sharpay est là pour sauver le spectacle en produisant et en dirigeant une comédie musicale digne de Broadway dont elle est évidemment la vedette !

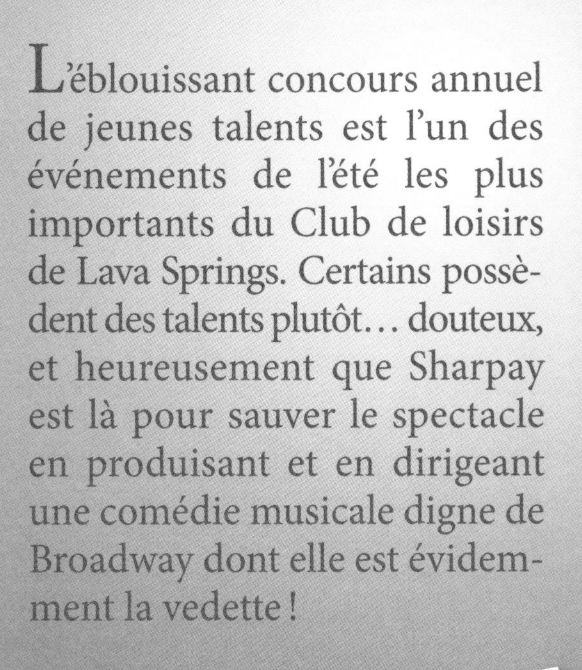

ÉBLOUISSANT CONCOURS ANNUEL DE

JEUNES TALENTS

DU CLUB DE LOISIRS DE LAVA SPRINGS

*Produit par Sharpay Evans*

QUAND : **2 juillet à 19 h**
OÙ : **Salle à manger principale**

**Réservez vos places dès maintenant !**

PROCUREZ-VOUS LES BILLETS AUPRÈS DU CONCIERGE.
LA SOIRÉE INCLUT UN SOUPER
TROIS CHOIX : (BŒUF, POULET OU POISSON)

- Aucun matériel de photographie ou d'enregistrement ne sera toléré sans l'autorisation écrite de la productrice.
- L'obtention du permis de filmer ou d'enregistrer le spectacle sera possible à la condition de montrer la productrice à son avantage !
- Tous les droits d'auteur sont interplanétaires et appartiennent exclusivement à la productrice, jusqu'à la fin des temps.
- Tous les enregistrements visuels et sonores doivent être approuvés par la productrice avant d'être publiés dans la presse écrite, diffusés à la radio, à la télévision, en film, sur internet, par moyens numériques ou par tout autre type de communication n'ayant pas encore été inventé.

# RÈGLES D'AUDITION DE SHARPAY EVANS

*Les auditions pour l'éblouissant concours annuel de jeunes talents auront lieu la semaine prochaine. Je m'occuperai une fois de plus de la sélection des candidats, de la direction du spectacle et bien sûr de l'exécution des numéros les plus impressionnants. J'ai donc rédigé cette petite brochure pour m'assurer que les auditions se déroulent sans incidents et dans le plus grand respect de ma personne.*

1. Soyez ponctuels. Il est impoli d'arriver en retard. Les auditions ne doivent pas empiéter sur le temps que je consacre à mon bronzage.
2. Votre audition ne doit pas prendre plus de 30 secondes. Voir la règle N° 1 concernant le temps consacré à mon bronzage.
3. Soyez conscients de vos limites. Si votre chien se cache lorsque vous chantez sous la douche, le message est clair. Je vous demande par ailleurs de ne pas me faire endurer une autre interprétation pénible de « I will always love you ». Je suis une artiste sensible, et mes nerfs sont délicats.
4. Si votre numéro implique un chien, un chat, un lapin ou une gerbille, prière d'apporter une laisse ou une cage. Nous ne tenons surtout pas à revivre les incidents de l'année dernière impliquant M^me^ Hanson et ses hamsters sauteurs.
5. Voici mon opinion générale sur les monologuistes : taisez-vous.
6. Ne me demandez pas si vous avez été sélectionnés tout de suite après votre audition. N'essayez pas de lire mes commentaires d'auditions par-dessus mon épaule. Ne faites pas de crises de larmes en me racontant que je suis la seule qui puisse réaliser votre rêve d'enfance et vous permettre de monter sur les planches.
7. Enfin, n'essayez surtout pas de me reléguer au second plan ! Vous n'avez qu'à demander à n'importe quel élève d'East High – c'est mon destin de devenir une grande vedette ! Votre destin est de me faire paraître encore plus géniale, c'est tout.
8. J'afficherai les résultats à l'extérieur du bureau de monsieur Fulton dans les 24 heures suivant les auditions. Mes décisions sont irrévocables, comme d'habitude.

Lorsque vient votre tour de faire valoir votre talent, tentez d'établir un véritable contact avec le public! Terminez la danse en exécutant un geste théâtral!
Travaillez fort, mais n'oubliez pas de le faire avec plaisir!
Mettez coeur et âme dans chaque mouvement!

# Comment créer une chorégraphie

Avec Ryan Evans

J'adore créer de nouvelles chorégraphies! Voici quelques conseils tout simples que je vous invite à suivre. Premièrement, choisissez une chanson qui vous plaît. Deuxièmement, écoutez la chanson à plusieurs reprises et songez aux types de mouvements qui fonctionneront bien avec la musique. Enfin, levez-vous et commencez à danser!

Club de loisirs de Lava Springs
ÉBLOUISSANT CONCOURS
ANNUEL DE
JEUNES TALENTS

Produit par Sharpay Evans
Club de loisirs de
L S
Lava Springs

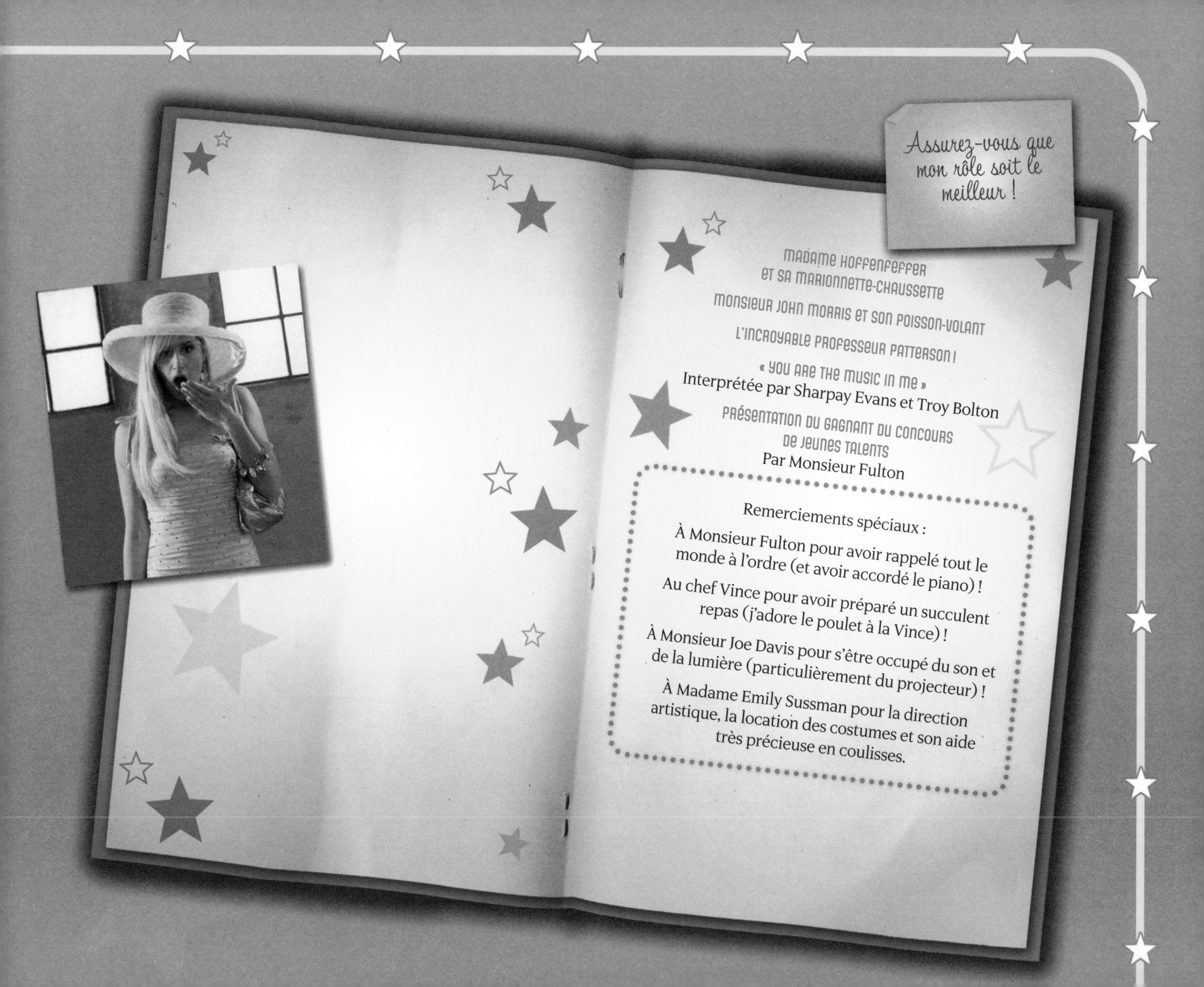
Assurez-vous que mon rôle soit le meilleur !
MADAME HOFFENFEFFER
ET SA MARIONNETTE-CHAUSSETTE
MONSIEUR JOHN MORRIS ET SON POISSON-VOLANT
L'INCROYABLE PROFESSEUR PATTERSON !
« YOU ARE THE MUSIC IN ME »
Interprétée par Sharpay Evans et Troy Bolton
PRÉSENTATION DU GAGNANT DU CONCOURS
DE JEUNES TALENTS
Par Monsieur Fulton
Remerciements spéciaux :
À Monsieur Fulton pour avoir rappelé tout le monde à l'ordre (et avoir accordé le piano) !
Au chef Vince pour avoir préparé un succulent repas (j'adore le poulet à la Vince) !
À Monsieur Joe Davis pour s'être occupé du son et de la lumière (particulièrement du projecteur) !
À Madame Emily Sussman pour la direction artistique, la location des costumes et son aide très précieuse en coulisses.

OLLYWOOD BLVD.
SUNSET
★SHARPAY★

Cher Journal,
Quelque chose d'inimaginable s'est produit !
Pour la première fois de l'HISTOIRE, je n'ai
pas remporté le concours de jeunes talents du
Club de loisirs ! C'est évidemment parce que j'ai
eu la gentillesse de remettre le premier prix à
mon frère Ryan, ce qui me fait paraître encore
plus grande ! Après tout, seules les grandes
vedettes n'accordent pas d'importance à la super-
ficialité des prix, des trophées, des plaques et
des certificats qu'on leur remet ! Par ailleurs,
je dois admettre qu'il a travaillé d'arrache-pied
pour monter le dernier numéro de danse, surtout
lorsqu'on tient compte des gens avec qui il a dû
travailler ! (Il a même réussi à faire danser des
joueurs-vedettes de basketball sur scène sans les
rendre ridicules !) Bien que je sois contente que
ses efforts soient récompensés, je ne veux surtout
pas qu'il croit que j'en ferai une habitude !
Après tout, les trophées n'ont peut-être pas la
même importance aux yeux de gens tels que moi
qui en ai déjà remporté des quantités – mais
ça ne veut pas dire que je n'aime pas les voir
alignés sur mon étagère !
Sharpay

CLUB DE
Monsieur Fulton,
Voici les photos que j'ai prises en coulisses après le concours de jeunes talents.
Je me suis dit que vous aimeriez les avoir pour vos dossiers.
–Rachel
P.-S. Le concours de jeunes talents fut génial !
Rachel – Photographe membre du personnel
Club de loisirs de Lava Springs
L
S
LAVA SPRINGS
LAVA SPRINGS

La vie à East High est sens dessus dessous depuis que Troy et Gabriella tiennent la vedette dans la comédie musicale d'hiver !
Les élèves ont soudain révélé les différentes facettes de leur personnalité, se sont faits de nouveaux amis et ont eu plus de plaisir que jamais. Les Wildcats se sont également démarqués dans le but de passer un été inoubliable.
Quelle sera la suite ? Rien de moins que l'année de terminale.
Qui sait quelles autres surprises les attendent ?

à toi maintenant d'entrer dans le jeu...

Troy et Gabriella doivent se préparer à se séparer car, une fois l'année terminée, ils partiront étudier dans des collèges différents. Avec l'aide des Wildcats, ils mettront en scène une comédie musicale qui sera le reflet de leurs expériences, de leurs espoirs et de leurs peurs pour l'avenir. Voici une occasion unique d'afficher, toi aussi, tes couleurs!

# MON SCRAPBOOK

Un scrapbook
est un album que tu dois créer de toutes pièces
et qui doit refléter ta personnalité, ton originalité et tes goûts !
Tous les personnages de *High School Musical*
sont différents. Chad aime pratiquer des sports et Taylor est une intellectuelle.
Sharpay joue la reine dramatique, tandis que Troy et Gabriella
sont de véritables étoiles montantes !
Tout comme eux, tu es unique...
Utilise ces pages pour y afficher
tes couleurs !

# ME VOICI

Ton nom : Nadia Broster

Ta date d'anniversaire : Le 18 décembre

Tes traits de caractère : gentille, amusante, intellegente.

Ta couleur favorite : Bleu

Ton style de musique préféré : Hip Hop

Ta chanson de *High School Musical* favorite :

Now or Never

Tu rêves d'entrer dans la bande de *High School Musical*? Qui sait? Tu as peut-être le profil recherché!

Réponds aux différentes questions, présente tes plus belles photos et joins-toi à tes personnages préférés!

EAST HIGH

TA PLUS GRANDE RÉALISATION !

CE QUE TU AIMES VRAIMENT !

TES PLUS GRANDS RÊVES !

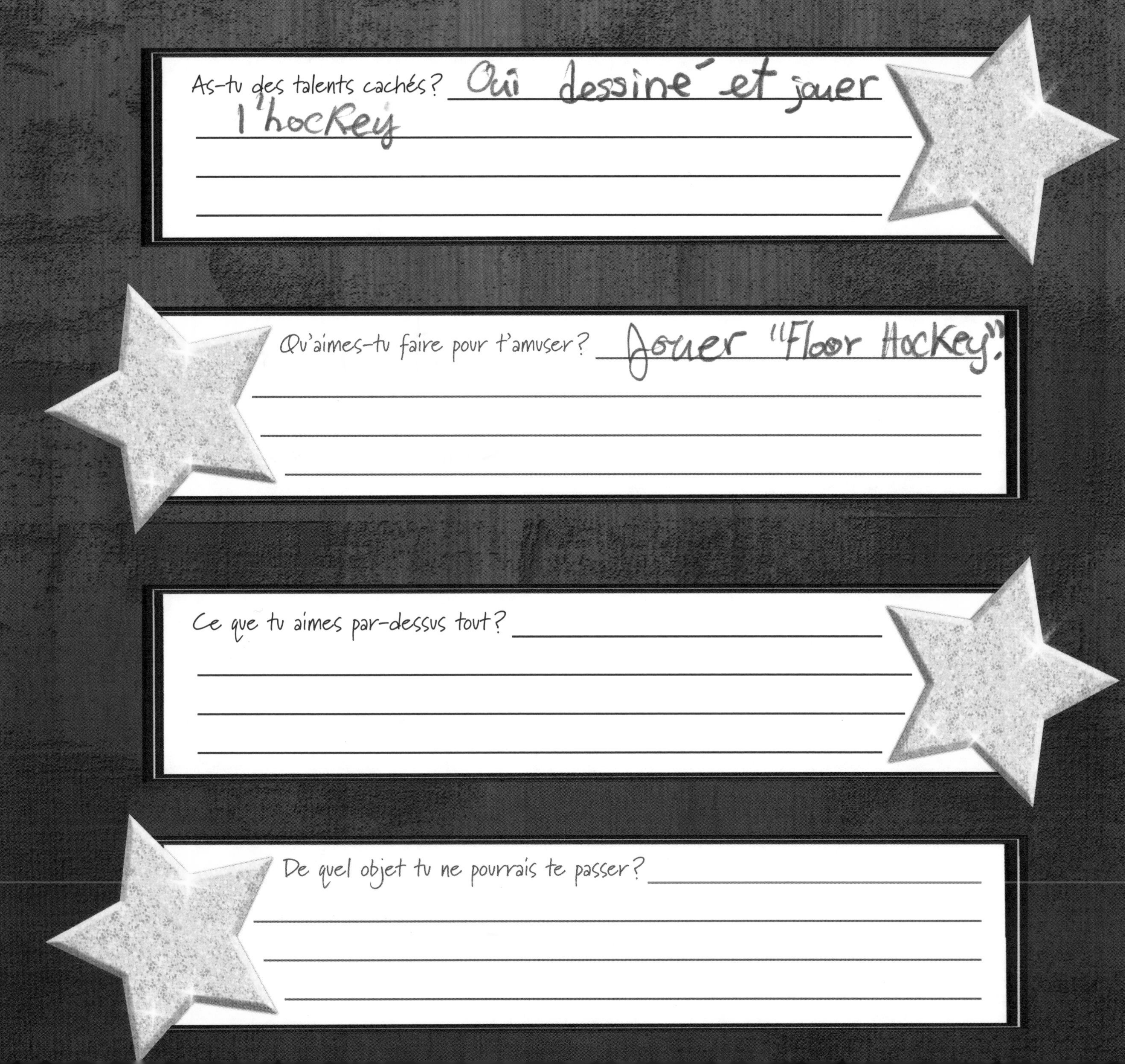

As-tu des talents cachés? Oui dessiné et jouer l'hockey

Qu'aimes-tu faire pour t'amuser? Jouer "Floor Hockey".

Ce que tu aimes par-dessus tout?

De quel objet tu ne pourrais te passer?

# MES PLUS BEAUX CLICHÉS

Présente-toi à l'aide de photos de toutes sortes!
Mode, grimaces, vacances, école, folies...
Tous tes plus beaux clichés
sont à l'honneur!

# SOURIEZ !

# TOUJOURS PLUS DE PHOTOS !

# QU'AS-TU EN COMMUN

Troy Moi j'aime le BASKET-Ball

Gabriella Je suis intelligent

Sharpay J'aime chanter.

# AVEC CHACUN D'EUX ?

*Inscris en quoi chacun des personnages de High School Musical te ressemble le plus. Qu'as-tu en commun avec chacun d'eux ?*

Ryan

J'aime chanter

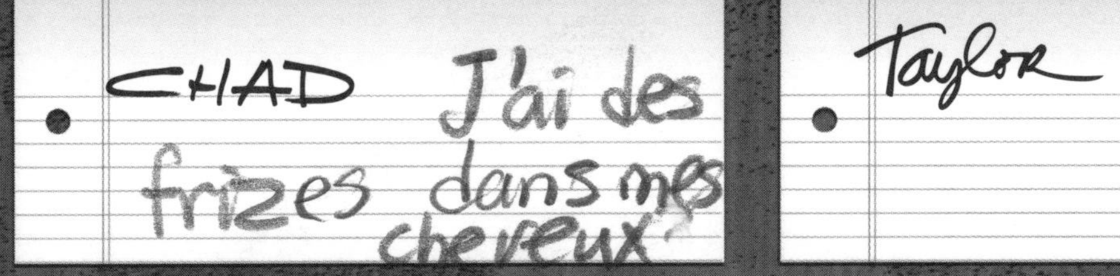

# PRÉSENTE TES AMIS

Photo 1

Photo 2

Photo 3

# ET DÉCRIS-LES !

Maintenant, à toi de coller la photo de chacun de tes amis
et inscris une courte description de chacun d'eux.

Photo 4

Photo 5

Photo 6

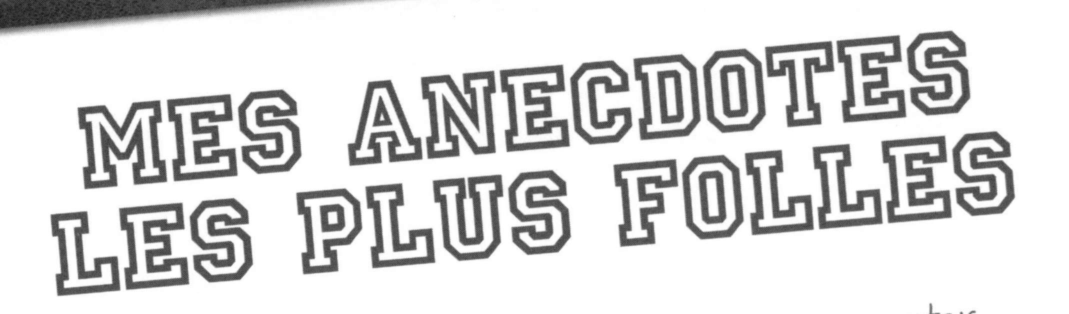


Voici des pages toutes spéciales où tu peux raconter les anecdotes les plus cocasses que tu as vécues avec tes amis. Si tu as des photos à l'appuie, pourquoi ne pas les coller !

AMITIÉ

# LES FÊTES

*Quoi de mieux que de faire la fête avec nos amis ?*

Inscris tout ce qui te passe par la tête
pour qu'une fête entre amis soit
des plus réussies !

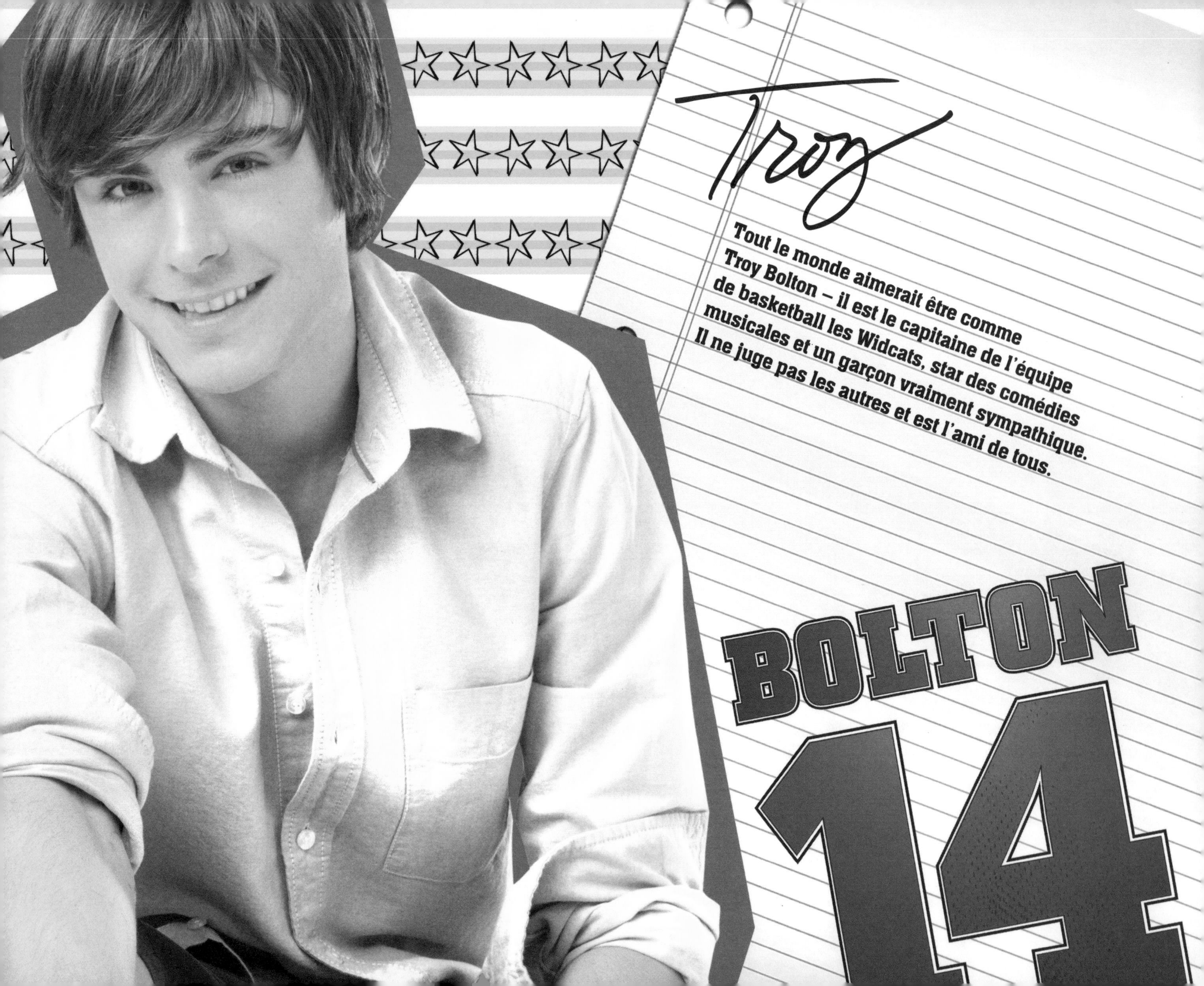
Troy
Tout le monde aimerait être comme Troy Bolton – il est le capitaine de l'équipe de basketball les Widcats, star des comédies musicales et un garçon vraiment sympathique. Il ne juge pas les autres et est l'ami de tous.
BOLTON
14

EHS
Inscris sur les lignes
qui suivent la réalisation
ou le projet qui t'a rendu
le plus fier... Je suis une
gardienne et tout
mon équipe est
très gentilles
et bonne
à la
sport
de ringuette.

Gabriella Montez est l'une des filles
les plus brillantes et gentilles d'East High.
Elle est toujours là pour ses amis
lorsqu'ils ont besoin d'elle.
Qui est la personne qui te connaît
le mieux et à qui tu peux confier
tous tes secrets ? Utilise ces pages
pour la décrire, lui rendre hommage
ou tout simplement pour raconter
un moment que tu as partagé avec elle.
Gabriella
EAST HIGH

EHS

Sharpay Evans est l'une des filles les plus talentueuses
et à la mode d'East High. On peut toujours compter sur elle
pour apporter de l'éclat aux corridors d'East High.
Sharpay

Si pour une journée tu pouvais être une star,
dans la peau de qui aimerais-tu être et pourquoi ?

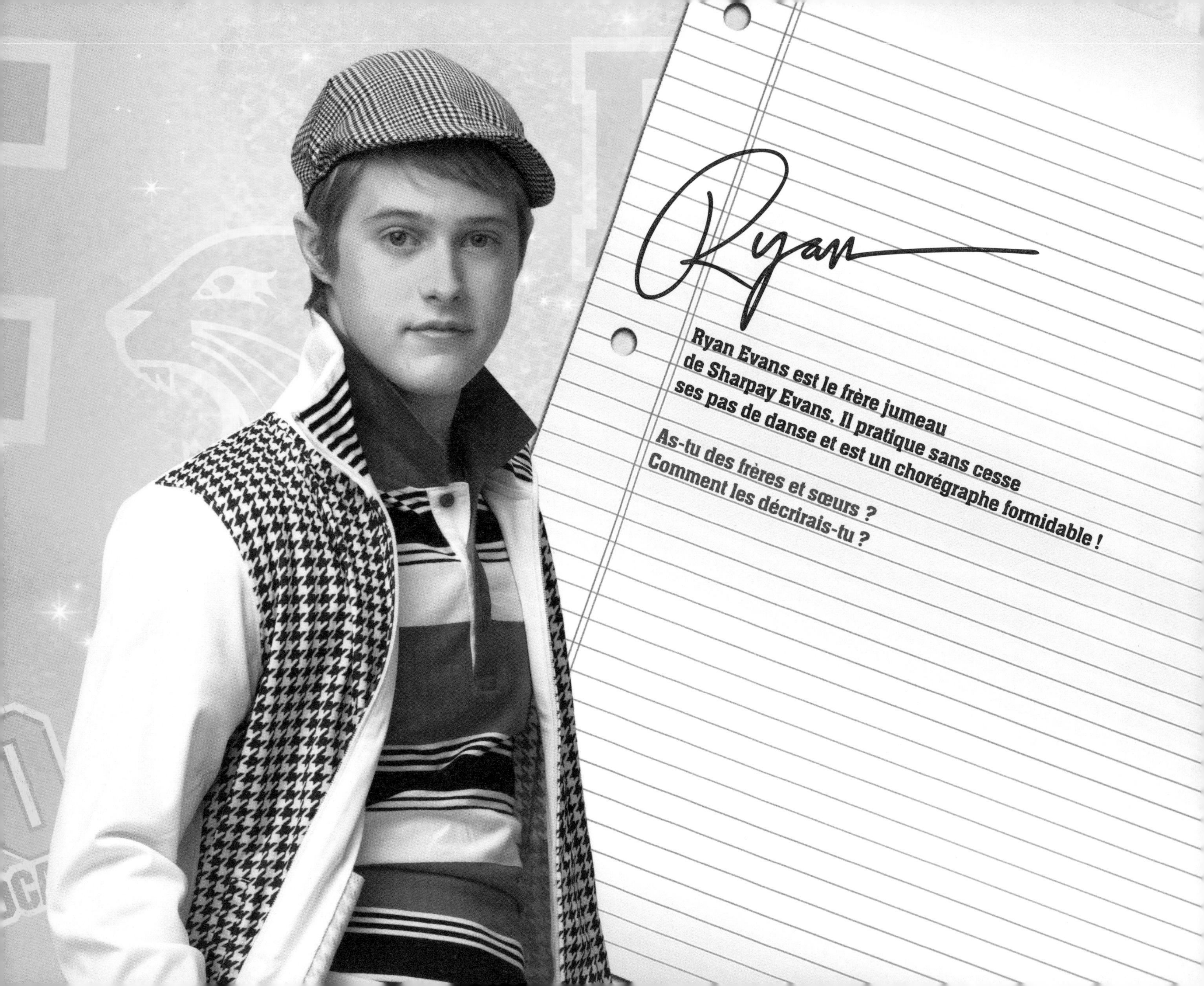
Ryan
Ryan Evans est le frère jumeau
de Sharpay Evans. Il pratique sans cesse
ses pas de danse et est un chorégraphe formidable !
As-tu des frères et sœurs ?
Comment les décrirais-tu ?

WILDCATS
EAST HIGH

# CHAD

Chad Danforth est le meilleur ami de Troy et le cocapitaine des Wildcats. Il est toujours en train de faire rire les gens et sait comment profiter de la vie.

**Quels sont tes loisirs et avec qui aimes-tu les pratiquer ?**

Taylor McKessie est également
l'une des filles les plus intelligentes
d'East High, et la meilleure amie
de Gabriella. Elle est ambitieuse et rêve,
un jour, d'être la présidente des États-Unis.
Quelles sont tes ambitions ?
Que rêves-tu de devenir plus tard ?
Taylor

# AMOUR

As-tu le béguin pour quelqu'un de ta classe ?
Comment est cette personne ? Inscris tout à son sujet!

Colle une photo de toi
et de la personne
que tu aimes follement !

Colle tes photos préférées et inscris une anecdote pour chacune.

AMOUR

# DES GARS QUI ONT DU STYLE

Les gars des Wildcats ont leur style bien à eux.

Chad démontre son grand intérêt pour les sports en portant des vêtements simples et confortables.

Le look décontracté de Troy reflète bien son attitude et sa personnalité.

Ryan est sans doute le plus original. Sa marque de commerce est son chapeau, ses couleurs audacieuses et ses motifs de toutes sortes.

# FAIS TON CHOIX

Lequel des trois garçons a, selon toi, le plus beau style ?

Identifie les personnes de ton entourage qui ressemblent le plus à Chad, Troy et Ryan et colle leur photo ci-dessous.

# DES FILLES TENDANCE

Les filles du lycée
East High ont chacune
un style qui se démarque.

Taylor aime s'habiller de façon
classique et sobre. Elle est toujours
bien mise et prête à travailler.

Sharpay est sans aucun doute
l'une des filles les plus tendance
d'East High. Elle est toujours habillée
de rose, sa couleur préférée!

Gabriella est plutôt discrète
sur le plan de la mode,
mais elle est toujours jolie
et sophistiquée!

# FAIS TON CHOIX

Laquelle des trois filles a, selon toi, le plus beau style ?

Identifie les personnes de ton entourage
qui ressemblent le plus à Taylor,
Sharpay et Gabriella et colle
leur photo ci-dessous.

Colle une photo de toi
en compagnie de ton groupe d'amis !

EAST HIGH

Colle une photo de toi
en compagnie de ton groupe d'amis !

E
EAST

fin...